敬躋堂經解

桐城徐璈輯錄

秦第十一

左傳吳公子札觀于周樂爲之歌秦曰此之謂夏聲杜注諸夏之聲夫能夏則大大之至也其周之舊乎襄公二十九年

呂氏春秋周昭王南征抎于漢中辛餘靡振王北濟乃侯之西翟實爲長公殷整甲徙宅西河猶思故處實始作爲西音長公繼是音以處西山秦穆公取風焉實始作爲秦音音初篇

詩緯含神霧曰秦地處仲秋之位男懦弱女高膫音中商其言舌舉而仰聲淸而揚御覽二十四

崔靈恩曰秦在虞夏商爲諸侯在周爲附庸詩集註正義引

車鄰三章

史記周宣王以秦仲爲大夫裴駰曰秦仲始大有車馬禮樂侍御之好也秦本紀註

易林曰車轔白顚知秦興起卒兼其國一統爲王旅之履

詩義折中曰其君能通下情而忘分以盡歡其臣能感君恩而及時以自獻招八州而朝同列有以也夫

有車鄰鄰

王逸曰有車轔轔轔轔車聲也楚辭九懷注　又文選四十六注引詩亦作轔轔劉良曰轔轔衆車聲也

寺人之令

韓詩曰寺人之伶伶使令也釋文

陸德明曰寺人奄人寺一作侍釋文

賈公彥曰秦仲其官大備故寺人兼小臣是以寺人得

掌男子（周官疏引詩　馮時可曰史記繆公學于宁人宁人即寺人也望夷之禍兆于車鄰聖人錄此以冠秦風垂戒深矣）

顏師古曰寺人之令寺人者內小臣在壺閫庭寺之內謂閽人耳侍人則當時侍衞于君不限內外如左傳侍人賈舉之類是也（匡謬正俗）

隰有栗

詩義疏曰栗五方皆有周秦特饒（初學記　羅願曰燕秦千樹栗故栗惟秦特饒）

駟驖三章

郡國志曰秦州俗尚氣力不恥寇盜弓馬射獵以爲工故詩駟驖（盧文弨曰駟驖漢志作四驖）小戎皆言田狩之事（御覽百八十一）

錢澄之曰史記秦文公元年居西垂宮三年以兵七百人東獵至汧渭之會乃卜居此詩即是文公東獵之事

駟驖孔阜

說文曰四驖孔阜驖馬赤黑色（徐鳳彩曰駟驖齊色孔阜齊力秦以牧馬開國其後猶大蕃息與）

公之媚子

王肅曰卿大夫曰子（正義　璈按列女傳馮昭儀從幸當熊而引此語以證是媚子亦爲左右嬪妾之稱矣）

輶車鸞鑣

韓詩內傳曰鸞在衡和在軾（禮記經解注）

說文䡞車鑾鑣

載獫歇驕

張銑曰獫猲皆狗也載之以車也（文選二京賦注引詩）

爾雅注載獫獨〈獢〉　文選注載獫〈玁〉獢五臣本

小戎三章

史記周宣王命秦仲誅西戎西戎殺秦仲宣王立其子莊公與兵七千使伐西戎破之襄公莊公子二年戎圍犬邱世父襄公兄擊之爲戎所虜七年西戎弑幽王驪山下襄公救周戰有功平王賜以岐西之地十二年伐戎至岐卒秦本紀

劉孝標曰襄公備其兵甲以討西戎婦人閔其君子故作詩世說注

小戎俴收

韋昭曰小戎俴收戎兵車也古者戎車一乘步卒七十二人齊語注　惠棟曰韋氏所據乃司馬法詩所謂元戎也管子云十軌爲里故五十人爲小戎里有司帥之七十二人爲大戎五十人爲小戎其周之制歟

王肅曰小戎駕兩馬者釋文

五楘梁輈

釋文五鞪梁輈　焯按龍龕手鑑鞪束曲轅緜殆韓家義五鞪者一轅而束之者五也

陰靷鋈續

徐邈曰陰靷〈沃〉續續速也集韻

沈重曰靷舊本皆作靳靳者言無常處遊在驂馬背上以驂外轡貫之以止驂之出左傳云如驂之有靳無取于靷也靳居覲反釋文　江永曰如釋文之說則左傳之靳卽此經之游環以其靳制驂馬言之謂之靳以其爲環而游動謂之游環若靷在驂馬背上與靳異矣靷釋文音允其居覲反者靳也

文茵暢轂

顧野王曰文茵虎褥也玉篇引詩

言念君子溫其如玉

荀子孔子曰夫玉者君子比德焉溫潤而澤仁也縝栗而理知也堅剛而不屈義也廉而不劌行也折而不撓勇也瑕適並見情也扣之其聲清揚而遠聞其止輟然辭也詩云言念君子溫其如玉此之謂也法行篇又禮記家語文小有異同

在其板屋亂我心曲

班固曰天水隴西山多林木民以板爲室屋故曰在其板屋漢書地理志

酈道元曰隴水東南流逕上邽故邽戎國也漢改爲天水郡其鄉悉以板蓋屋詩所謂西戎板屋也渭水篇

顏師古曰言襄公出征則婦人居板屋中而念其君子也漢書注

文選注在〈我〉版屋

龍盾之合

王肅曰合而載之以爲車蔽正義

鋈以觼軜

說文曰〈鋈〉以觼軜軜驂馬內轡系軾前者釋文軜內也

盧辯曰軜在軾前斂六轡之餘大戴禮盛德篇注引詩

俴駟孔羣

韓詩曰四馬不著甲曰俴駟釋文 按俴淺也爾雅虎竊毛謂之虦貓竊虦皆淺也馬不著甲則俴以毛色言當如釋獸之義也

厹矛鋈錞

說文曰厹矛〈沃〉鋈鋈矛戟柲下銅鐏也

蒙伐有苑

玉篇曰蒙瞂有苑瞂盾也釋文伐本或作瞂

虎韔鏤膺

劉氏曰畫虎于鈴竿及盾也荀子禮論篇楊注引

竹閉緄縢

周官注竹韣緄縢儀禮註韣作柲　鄭康成曰弓檠曰韣弛則縛于弓裏備損傷也　賈公彥曰緄繩縢約之也以竹爲韣發弦時禆于弓之背上又繩橫繫之使相著韣與弓爲力備頓傷也儀禮疏

載寢載興

文選注再寢再興

厭厭良人

列女傳愔愔良人於陵子妻篇　按左傳祈招之愔愔文選琴賦愔愔琴德皆爲和靜之意與篇中兩溫其義協此魯詩爲正字毛作厭當爲愔之轉也

蒹葭三章

鮑照賦曰捨堂宇之密親坐江潭而爲客對蒹葭之遂黃視零露之方白本集　璈按如鮑述詩之義則此篇爲客遊感秋之詞伊人在水即其舟流所居不必爲上下求索之謂矣

白露爲霜

詩緯含神霧曰陽氣終白露爲霜　宋均註白露行露也陽氣終陰用事故白露凝爲霜也御覽十二

五經通義曰寒氣凝以爲霜霜從地升北堂書抄百五十二

在水一方

王肅曰維得人之道乃在水一方一方難至矣正義　李子德

日水一方蓋言各也所謂伊人則東遷之君也溯洄溯游情瀎故主矣經稗

蒹葭萋萋

薛君章句曰萋萋盛也文選籍田賦注

唐石經蒹葭〔淒淒〕釋文本亦作淒璈按四月詩傳淒淒涼風也緣本詩傳淒淒寒風也蒹葭當霜凝之候涼風蕭瑟寒意淒其既盛而將靡矣三章言采采則落實取材之事采采者不一采猶周南之采采芣苢也

宛在水中坻

鄧展曰坻水中山也漢書司馬相如傳注引詩

陸德明曰坻水中高地也〔釋文〕璈按思元賦舊注云坻所以止船也呂向注坻洲也可以止舟遡洄遡游固乘舟而往來上下也

遡洄　遡游

說文〔游〕洄　爾雅〔泝〕洄　〔泝〕游

宛在水中沚

薛章句曰大渚曰沚文選潘岳賦注　璈按釋名小渚曰沚沚止也傳及雅訓均與之同薛君此訓獨反其義

〔終南〕二章

服虔曰秦仲孫襄公列爲秦伯故有蒹葭之歌終南之詩正義引左傳注古義史記襄公受岐西之地至文公大敗戎師而後取之此詩以終南入咏當在文公時也詩義折中曰文公逐戎東獵于汧渭之會至德公徙居雍則在終南之下也

終南何有

五經要義曰終南長安南山也一名太一山在扶風武功縣終南太一不得爲兩山蓋終南山之總名太一山之別號御覽三十八

有條有梅

釋文有〔樤〕有梅 鄒忠允曰周人方悲其離黍秦人已咏其條梅代興之兆見于此矣

柳宗元曰惟終南據天之中在都之南實能作極以屏王室其物產之厚器用之出則璆琳琅玕夏書載焉紀堂條梅秦風詠焉 本集

顏如渥丹其君也哉

韓詩曰顏如渥〔沰〕沰赭也 釋文

韓詩外傳曰上人之所遇色爲先聲音次之事行爲後故君子容色天下儀象而望之不暇言而知宜爲人君

詩曰顏如渥〔赭〕其君也哉 瑔按此作渥赭與簡兮同渥赭謂顏面之赭赩蓋當時詩毛本作丹乃赭之訓也

顧雍曰君子始受命爲諸侯而至此終南也有衣服之盛焉有容儀之美焉其君也哉言其稱也

有紀有堂

崔集註有〔屺〕有堂 初學記同按楊氏詩傳從崔作屺

白帖有〔杞〕有〔棠〕 王引之曰傳釋紀堂爲山此所引殆韓詩也杞棠條梅皆木名春秋杞侯公穀作紀左傳堂谿楚詞作棠紀堂假借字也若首章言木二章言山與錦衣句爲不類矣

黻衣繡裳

徐幹曰黻衣〔綉〕裳君子之所服愛其德故美其服也 中論

文選注黻黼也五色備曰繡 思元賦舊注引詩

〔黃鳥〕三章

左傳文公五年秦伯任好卒以子車氏三子奄息仲行鍼虎爲殉皆秦之良也國人哀之爲之賦黃鳥

史記繆公卒葬雍子輿氏三人奄息仲行鍼虎在從死之中秦人哀之爲作黃鳥之歌 秦本紀

匡衡曰秦穆貴信而士多從死漢書本傳　按秦本紀曰繆公卒葬雍從死者百七十七人此所謂士多從死也蓋三良之外殉者甚多矣

劉德曰黃鳥之詩刺秦穆公要人從死也漢書敘傳注

應劭曰秦穆公與羣臣飲酒酣公曰生共此樂死共此哀于是奄息仲行鍼虎許諾及公薨皆從死黃鳥詩所爲作也秦本紀注

又曰繆公受鄭甘言置戍而去違黃髮之計而遇殽之敗殺賢臣百里奚以子車氏爲殉詩黃鳥之所爲作風俗通　嚴可均曰謚法名與實爽曰繆傳記稱秦伯多從繆也

潘岳賦曰感三良之殉秦兮甘捐生而自引文選十六

交交黃鳥止于棘

杜預曰黃鳥止于棘桑往來得其所傷三良不然左傳注

王質曰黃鳥倉庚春夏鳴及秋則止三良之殉考左傳正在夏也

璬按交交一作咬咬嵇康詩咬咬黃鳥當即用秦風句曹植詠三良詩黃鳥爲悲鳴咬咬者鳴之悲也蓋亦三家宿義矣　又按易林子車鍼虎善人危殆黃鳥悲鳴傷國無輔詩內無鳴字所云悲鳴者以交交言亦當作咬也

子車鍼虎

淮南子吳與楚戰申包胥七日夜至秦庭告急秦王乃發車千乘步卒七萬屬之子虎擊吳大破之高註子虎秦大夫子車鍼虎修務訓　璬按淮南所述申包胥乞師與秦穆之時後先懸隔而高氏以鍼虎爲子虎蓋有一誤矣然以破吳存楚屬之鍼虎則其具折衝之材可知故詩詠爲百夫之禦也

惴惴其慄

孟子註惴惴其栗

左傳君子曰秦穆之不爲盟主也宜哉死而棄民先

王遴世猶詒之法而況奪之善人乎詩曰人之云亡邦國殄瘁無善人之謂若之何奪之古之王者知命之不長是以並建聖哲樹之風聲分之采物著之話言爲之律度陳之藝極引之表儀予之法則告之訓典教之防利委之常秩道之以禮則使毋失其土宜衆利賴之而後即命聖王同之今縱無法以遺後嗣而又收其良以死難以在上矣君子是以知秦之不復東征也文公六年

劉勰曰哀者依也悲實依心故曰哀也以辭遣哀蓋不淚之悼昔三良殉秦百夫莫贖事均夭枉黃鳥告哀抑亦詩人之哀辭乎文心雕龍

晨風三章

李善曰晨風秦詩言未見君而心憂也文選王融策文註 徐文靖曰如韓外傳所引則晨風蓋父子之詩 璈按李解以未見君言亦同韓義

桓範與管寧書曰思請見于蓬廬之側承訓誨于道德之門厥途無由托思晨風藝文類聚三十一 璈按桓引詩意以君子目管寧是此爲欲見賢而未得之詩殆亦三家指趣也 璈又按梁吳筠交曰一死一生乃知交情一貴一賤交情乃見謂古昔之恒談在今日而方見嗚呼如何忘我實多輙欲彈琴縱酒于首陽之阿吳引詩語爲友朋離群而相怨者有如小雅谷風之篇矣

鴥彼晨風

劉楨詩義問曰晨風今之鷂藝文類聚 姚炳曰古詩亮無晨風翼又願爲晨風鳥皆言其凌風飛翔爾雅以爲鸇也

韓詩外傳〔鸇〕彼晨風范家相曰韓作鸇謂鸇乘朝風而飛也漢魏人則以晨風爲鸇

說文鴥彼〔鷐〕風璈按大戴制言篇國有道則突若人焉注引詩鴥彼晨風作鴥

鬱彼北林

韓詩外傳〔宛〕彼北林宋緜初曰周禮鄭氏注引詩宛彼北林宛與鬱通亦韓詩也

周官注〔菀〕彼北林璈按史記鬱葱氣佳哉國語人皆集于菀鬱與菀同爲林木盛茂之意

干寶晉紀論曰百姓皆知上之德感而應之悅而歸之如晨風之鬱北林魚龍之趣淵澤也張銑注林茂鳥歸之淵深魚趣之君有德則人附之　璈按干論及張注引用詩意有如孟子歸仁之旨亦一義也

山有苞櫟

爾雅注山有〔枹〕櫟

隰有六駮

崔豹曰六駮山中有木葉似豫章皮多癬駮名六駮木古今註引詩　錢大昕曰山有隰有對舉則皆草木之類釋木云駮赤李謂李之子赤者其即此詩之六駮乎

王肅曰言六據所見言之王質詩總聞六

詩義疏曰駮駮馬梓榆駁犖遙視似駮馬藝文類聚八十八

隰有樹檖

廣韻曰隰有樹檖陽樹木名一曰赤羅子檖說文作〔椽〕

說苑魏文侯封太子擊于中山三年使不往來擊乃遣舍人趙倉唐緤北犬奉晨鳧獻于文侯文侯曰子之君何業對曰業詩文侯曰于詩何好曰好晨風文侯自讀晨風曰鴥彼晨風鬱彼北林未見君子憂心欽欽如何如何忘我實多文侯曰子之君以我忘之乎倉唐曰不敢時思耳乃封中山而復太子擊奉使篇韓詩外傳同

王褒曰太子擊誦晨風文侯喻其指意四子講德論

〔無衣〕三章

班固曰天水隴西及安定北地上郡西河皆迫近戎狄
修習戰備高上氣力以射獵爲先故秦詩無衣車鄰之
[illegible]之[illegible]漢書地理志　琡按篇中所稱

有條有梅

釋文有（槢）有梅　鄒忠允曰周人方悲其離黍秦人已咏其條梅代興之兆見于此矣

柳宗元曰惟終南據天之中在都之南實能作極以屏王室其物產之厚器用之出則璆琳琅玕夏書載焉紀堂條梅秦風詠焉　本集

顏如渥丹其君也哉

韓詩曰顏如渥（沰）沰赭也　釋文

韓詩外傳曰上人之所遇色爲先聲音次之事行爲後故君子容色天下儀象而望之不假言而知宜爲人君詩曰顏如渥（赭）其君也哉　琡按此作渥赭與簡兮同渥赭謂顏面之赭赩蓋當時語毛本作丹乃赭之訓也　顧雍曰君子始受命爲諸侯而至此終南也有衣服之盛焉有容儀之美焉其君也哉言其稱也

有紀有堂

崔集註有（屺）有堂　初學記同　按楊氏詩傳從崔作屺

白帖有（杞）有（棠）　王引之曰傳釋紀堂爲山此所引殆韓詩也杞棠條梅皆木名春秋杞侯公穀作紀左傳堂谿楚詞作棠紀堂假借字也若首章言木二章言山與錦衣句爲不類矣

黻衣繡裳

徐幹曰黻衣（綉）裳君子之所服愛其德故美其服也　中論

文選注黻黼也五色備曰繡　思元賦舊注引詩

黃鳥　三章

左傳文公五年秦伯任好卒以子車氏三子奄息仲行鍼虎爲殉皆秦之良也國人哀之爲之賦黃鳥

史記繆公卒葬雍子輿氏三人奄息仲行鍼虎在從死之中秦人哀之爲作黃鳥之歌　秦本紀

西因曰天水隴西及安定北地上郡西河皆迫近戎狄

修習戰備高上氣力以射獵為先故秦詩[illegible]之

篇皆言車馬田狩之事 漢書地理志[illegible] 錢氏以為宣王則非公時

作[illegible]小戎篇 [illegible]襄公時

豈曰無衣與子同袍

王肅曰豈謂子無衣乎樂有是袍與子為朋友同共寒

之人[illegible]同袍[illegible]

[illegible]

與子同澤

賈公彥曰與子同澤[illegible]康成曰袍襗褻衣也 周官疏

陸德明曰澤說文作襗 釋文

與子偕行

[illegible]堂經解

漢書與子偕行

左傳定公四年申包胥如秦乞師于秦秦哀公為之賦無衣

本中吾九頓首而坐 無衣三章章五句

漢書贊曰秦漢以來山東出相山西出將何則山西

天水隴西安定北地處勢迫近羌胡民俗修習戰備

高上勇力鞍馬騎射故秦詩曰王于興師云云其風

聲氣俗自古而然今之歌謠慷慨風流猶存耳 趙充國辛慶忌傳

渭陽二章

韓詩曰秦康公送舅氏晉文公于渭之陽念母之不見也

曰我見舅氏如母存焉 後漢書馬援傳注

列女傳秦穆公之夫人晉獻公之女穆姬賢而有義

匡衡曰秦穆貴信而士多從死漢書本傳　按秦本紀曰繆公卒葬雍從死者百七十七人此所謂士多從死也蓋三良之外殉者甚多矣

劉德曰黃鳥之詩刺秦穆公要人從死也漢書敘傳注

應劭曰秦穆公與羣臣飲酒酣公曰生共此樂死共此哀于是奄息仲行鍼虎許諾及公薨皆從死黃鳥詩所爲作也秦本紀注

又曰繆公受鄭甘言置戍而去違黃髮之計而遇殽之敗殺賢臣百里奚以子車氏爲殉詩黃鳥之所爲作風俗通　嚴可均曰謚法名與實爽曰繆傳記稱秦伯多從繆也

潘岳賦曰感三良之殉秦兮甘捐生而自引文選十六

交交黃鳥止于棘

杜預曰黃鳥止于棘桑往來得其所傷三良不然左傳注

王質曰黃鳥倉庚春夏鳴及秋則止三良之殉考左傳正在夏也

璬按交交一作咬咬嵇康詩咬咬黃鳥當即用秦風句曹植詠三良詩黃鳥爲悲鳴咬咬者鳴之悲也蓋亦三家宿義矣　又按易林子車鍼虎善人危殆黃鳥悲鳴傷國無輔詩內無鳴字所云悲鳴者以交交言亦當作咬也

子車鍼虎

淮南子吳與楚戰申包胥七日夜至秦庭告急秦王乃發車千乘步卒七萬屬之子虎擊吳大破之　高註子虎秦大夫子車鍼虎修務訓　璬按淮南所述申包胥乞師與秦穆之時後先懸隔而高氏以鍼虎爲子虎蓋有一譌矣然以破吳存楚屬之鍼虎則其具折衝之材可知故詩詠爲百夫之禦也

惴惴其慄

孟子註惴惴其栗

左傳君子曰秦穆之不爲盟主也宜哉死而棄民先

姬死穆姬之弟重耳入秦秦送之晉是為晉文公太子瑩思母之恩而送其舅氏作詩

劉孝標曰渭陽康公念母也 世說注

曰至渭陽

陸德明曰水北曰陽 釋文

路車乘黃

御覽輅車乘黃 四百七十八

晉棗腆贈石季倫詩曰我舅敷命于彼徐方載詠陟岡言念渭陽 藝文類聚三十一

北史楊愔幼喪母詣舅源子恭子恭與之飲問讀何書曰誦詩子恭曰誦至渭陽未耶愔便號泣感噎子恭亦對之欷歔遂為之罷酒 本傳

李德裕曰周宣餞申伯有孔碩之詩秦康送文公與如存之感 文粹三十八

權輿二章

方苞曰始于車轔終于權輿親奄息棄師儒秦之所以亡已見之矣

於我乎夏屋渠渠今也每食無餘

韓詩曰商屋而夏門也 通典五十五 盧文弨曰通典又引韓傳曰周夏屋而商門也

王逸曰夏大殿也 楚詞九章註引詩 趙翼曰大招夏屋廣大沙棠秀只是宋玉以夏為大屋也

王肅曰屋則立之于先君食則受之于今君故居大屋而食無餘 正義 按淮南本經訓註夏屋大屋亦釋夏為大也

文選註夏屋蘧蘧 靈光殿賦注引詩

于嗟乎不承權輿

爾雅釋詁注胡不乘權輿

每食四簋

熊安生曰諸侯與大夫食四簋禮記疏引詩

陸德明曰內方外圓曰簋以盛黍稷外方內圓曰簠用貯稻粱皆容一斗二升釋文

秦國十篇二十七章

詩經廣詁　國風

敬躋堂經解

桐城徐璈輯錄

陳第十二

左傳吳公子札觀于周樂爲之歌陳曰國無主杜注淫聲放蕩無所畏忌其能久乎嚴虞惇曰周定王之九年而楚莊入陳中國無霸矣故變風終于陳靈

詩緯含神霧曰陳地處季春之位土地平夷無有山谷律中姑洗音中宮徵御覽十八

宛邱三章

匡衡曰陳夫人好巫而民淫祀張晏注武王之女大姬無子好祭鬼神鼓舞而祀故其詩坎其擊鼓云云漢書本傳

班固曰周武王妻胡公以元女大姬婦人尊貴好祭祀用史巫故其俗巫鬼詩云云引詩坎其擊鼓四句漢書地理志　錢澄之曰大姬初無子以禱祠而生子故好巫鬼　臧琳曰大姬好巫重祭說與毛异蓋魯詩也匡學齊詩是齊魯義同也

子之湯兮

王逸曰子之蕩兮蕩蕩無思慮貌楚詞離騷經注

宛邱之下

酈道元曰宛邱在陳城南道東王隱云漸欲平今不知所在矣水經注潁水篇引詩

無冬無夏值其鷺羽

漢書亡冬亡夏值其鷺羽　顏注鷺羽爲翿立之而舞以事神亡冬亡夏言其恒也

御覽植其鷺羽二十六　姚炳曰梓人羽者鱗者以爲筍簴鷺羽鷺翿皆筍簴之所懸值者植立之義　璈按御覽所引當出三家不煩轉訓也

坎其擊缶

應劭曰缶者瓦器所以盛漿鼓之以節歌 風俗通引詩 黃佐曰缶秦聲也陳師從胡公于豐衆習其聲以歸國人化之

東門之枌 三章

班固曰陳俗巫鬼故其詩云云 漢書地理志 顏師古曰于枌榆之下歌舞以娛神也 漢書注

婆娑其下

李善曰婆娑容與之貌 文選北征賦注引詩

說文媻娑其下 按文選注婆娑猶媻姍也故婆轉爲媻

穀旦于差

韓詩穀旦于嗟 釋文 范家相曰嗟猶嗟我婦子之嗟謂招同類也 璥按檀弓嗟來食秦誓嗟我士告發聲相召之意 郝懿行曰文選注薛君曰吁嗟歎辭于嗟即吁嗟也

羣經音辨穀且于差 釋文本亦作且苟且也

不績其麻

高誘曰衣服不供有受其寒 呂覽注引詩

市也婆娑

王符曰婆娑舞也謂婦人于市中歌舞以祀神也 後漢書本傳

潛夫論女也婆娑

越以鬷邁

王肅曰鬷數績麻之縷也 正義 璥按鄭箋鬷總也以人數總集言愚謂羔羊詩素絲五總西京雜記作緵曰倍紀爲緵鬷總緵字通蓋古者絲麻縷數多寡等差之名且承上章績麻言意尤貫屬 錢澄之曰言挾麻總而行不暇績也

玉篇曰越以緵邁緵數也 孔廣森曰西京雜記倍紀爲緵者八十縷之名鄭儀禮注布八十縷爲升賈疏八十縷今亦謂之宗宗即緵也又史記有七緵布漢書有十緵布皆爲縷數之名禮朝服

布十五升者蓋即十五緵矣

貽我握椒

歐陽詢曰男女結情好也藝文類聚

衡門 三章

朱謀㙔曰遯世無悶之詞也

衡門之下

劉楨曰橫一木作門而上無屋謂之衡門詩義問 御覽百八十二

沈重曰衡古文橫字釋文

可以棲遲

婁壽碑徲徙衡門隸釋 洪頤煊曰楊君碑徲偍樂志蔡邕焦君贊衡門之下栖遲偃息義皆本于此詩

泌之洋洋可以樂飢

王肅曰洋洋泌水可以樂道忘飢正義

孫毓曰此言臨水歎逝可以樂道忘飢是感激之志慷慨之喻異同評正義 璇按樂𤻲療皆借喻也齊策顏斶曰晚食以當肉安步以當車得詩人之旨矣

列女傳可以療飢韓詩外傳引同 釋文可以𤻲飢沈重曰逸詩作𤻲𤻲治也

韓詩外傳子夏曰居蓬戶之中彈琴以詠歌先王之風有人亦樂之無人亦樂之亦可發憤忘食矣詩云衡門四句 白帖崔從少孤貧與伊兄同隱山林苦心力學飲水棲衡怡然終日

必齊之姜

徐鍇曰言所貴者貴其正也說文繫傳引詩 何楷曰宋子齊姜言其國族之貴足爲繫援也

東門之池 三章

東門之池

酈道元曰陳城東門內有池池水東西七十步南北八十許步水至淸潔而不耗竭不生魚草水中有故臺處詩所謂東門之池也水經注潁水篇

彼美淑姬

釋文彼美[叔]姬何楷曰一姬也有與之歌與之語與之言者其爲叔也僅矣　瑴按釋文引作叔未識係何家本叔少也幼少之女雜沓歌言亦紛若之巫風也

可與晤歌

王肅曰可以與相遇歌樂室家之事正義

可與晤言

列女傳可與[寤]言

東門之楊 二章

王肅曰陳棄周禮國亂悲傷故刺昏姻不及其時周官疏

易林配合相迎利之四鄉昏以爲期明星煌煌欣喜澤所言得償大畜詞

其葉牂牂

御覽其葉[洋洋]按易林南山之楊其葉將將廣雅鏘鏘盛也鏘將義同傳訓牂爲盛牂卽將之借也

明星晢晢

易釋文明星[晣晣]

墓門 二章

列女傳陳辯女者陳國采桑之女也晉解居甫使于宋楚詞註作聘於宋過陳遇采桑之女止而戲之曰女爲我歌乃

歌曰墓門有棘云云首章又云爲我歌其二女曰墓門有棘云云次章大夫曰其棘則是其鴞安在女曰陳小國也攝乎大國之間因之以飢饉加之以師旅其人且亡而況鴞乎楚詞注曰晉大夫解居父聘吳過陳之墓門見婦人負其子欲與之淫泆婦人則引詩刺之云云何楷曰玩此注則是陳舊有此詩辨女引而歌之耳

墓門有棘

王逸曰言墓門有棘雖無人棘上猶有鴞汝獨不愧也楚詞天問注

歌以訊之

韓詩曰訊諫也釋文 邵晉涵曰今本作訊陸本作誶戴震曰訊乃誶字轉寫之訛誶告訊問不相假借 璈按思元賦舊注訊告也是古訓訊有告意也

梁武帝曰詩者思也辭也發慮在心謂之思言見其懷抱者也在辭爲詩在樂爲歌其本一也故曰作好歌以訊之十五國風義 毛詩指說

廣韻曰歌以誶止誶言也龍龕手鑑引同 戴震曰此句止字與上句相應凡詩韻在句中者韻下用字不得或異惟不可休思譌作息此譌作之也

訊予不顧

王逸曰誶予不顧誶諫也楚詞注 江沅曰歌以訊之莫肯用訊以韻讀之皆當爲誶訟文誶告也

防有鵲巢二章

韓詩曰悅人也爾雅注 璈按釋訓惕惕愛也郭曰韓詩以爲悅人故言愛也蓋詩意篤譸予美恐有侜之而成間隙者則是愛悅之甚也

防有鵲巢邛有旨苕

博物記曰邛地在陳國陳縣北防亭在焉詩云云後漢郡國志注　璬按說文邛地名在濟陰卽博物記所謂陳縣北者與

誰侜予美

韓詩曰誰侜予娓娓美也釋文　經義雜記毛作美釋娓字也韓爲本經

心焉忉忉

韓詩曰忉忉憂也釋文

中唐有甓

如淳曰爾雅廟中路謂之唐西京賦曰前開唐中彌望廣像也史記周本紀註引詩　璬按首章以防邛對舉次章獨易其詞蓋中唐者卽防之中唐也故仍以邛並言

邛有旨鷊

說文曰邛有旨虉旨虉綬也陳啟源曰此植物而以禽名也　歐陽修曰旨鷊綬草雜臬色以成文猶多言交織以成惑義與貝錦同

集韻邛有旨鷊　璬按鵲巢于木而若華凌高亦緣于木甓甃于途而鷊草叢生亦附于途以見侜張之幻隨其高下而可施也

心焉惕惕

郭璞曰惕惕愛也爾雅釋訓注

衆經音義曰惕惕疾也懼也引詩

月出三章

月出

應瑒賦曰發明月之輝光照妖人之窈窕藝文類聚二十一

江淹麗色賦曰笑月出于陳歌藝文類聚　范處義曰此詩蓋指孔寧儀行父之事焦竑曰月出見月懷人也杜甫詩落月滿屋梁猶疑照顏色王昌齡詩松際露微月清光猶爲君大抵出陳風矣

月出皎兮

許愼曰皎月之白也說文引詩釋文皎作皦

佼人僚兮

李賢曰姣人僚兮姣好貌也後漢書劉盆子傳注陸德明曰佼作姣方言曰自關而東河濟之間凡好謂之姣

文選注狡人嫽兮謝莊月賦

佼人懰兮

陸德明曰懰好貌埤蒼作嬼嬼妖也釋文

舒懮受兮

羣經音辨佼人劉兮璥按墨子無故富貴面目佼好則使之說文姣好也卽佼字

集韻曰懮舒遲也引詩 折中舒謂徵舒勞心從旁爲之憂其禍者

唐石經舒憂受兮

勞心慅兮

釋文曰慅憂也讀詩記王氏曰慅言不安而騷動

勞心慘兮

五經文字勞心懆兮陳第曰慘當作懆說文懆愁不安也 戴震曰懆與照燎紹韻抑詩我心慘慘正月詩憂心慘慘北山詩或慘慘劬勞皆懆懆之譌

株林 二章

史記陳靈公與其大夫孔寧儀行父皆通于夏姬衷其衣以戲于朝泄冶諫殺之十五年年表魯宣公十年靈公與二子飲于夏氏公戲二子曰徵舒似汝二子曰亦似公徵舒怒靈公罷酒出徵舒自廄射殺之陳杞世家

匪適株林從夏南

王肅曰言非欲適株林從夏南之母反復言之疾之也正義 呂祖謙曰非適株林乃他有所往詩人若爲隱之也

劉昭曰陳有株邑蓋朱襄之地漢志注

正義從夏南兮上句同　唐石經從夏南姬上句同　按鄭王皆以從夏南之母言是唐以前本有姬字也

乘我乘駒

沈重曰乘我乘驕或作駒字是後人改之釋文

澤陂　三章

鮑昭芙蓉賦曰詠憂思于陳詩藝文類聚八十三

彼澤之陂

韓詩傳曰舜漁雷澤雷澤在濟陰城陽縣風俗通

傷如之何

魯詩陽如之何　郭璞曰今巴濮之人自呼爲阿陽爾雅釋詁卬陽吾予也注引魯證之

有蒲與蕳

韓詩曰蕳蓮也　璥按爾雅荷芙蕖其華菡萏其實蓮韓訓蕳爲蓮于詩兩見當爲此篇義矣

王質曰三章皆同類同時之物也

樊光爾雅注有蒲與茄詩攷　璥按蕳傳疏以爲蘭然爾雅芙蕖其莖茄是三章皆詠蓮也　臧琳曰樊光引詩是三家有作茄者與釋草其莖茄合荷爲葉菡萏爲華葉與華皆本于莖也

御覽有蒲與蓮

碩大且卷

釋文碩大且睠　李樗曰盧令美且鬈字雖不同其義則一　璥按卷通作鬈鬈髮美也釋文作睠睠目也又一義

中心悁悁

呂忱曰悁悁忿恨也文選注引字林釋詩

呂向曰悁悁憂心也文選思元賦注引詩

文選注勞心悁悁 思元賦善注引

有蒲菡萏

釋文有蒲萏欿 說文作萳閻袁文曰菡萏荷花未發之狀

碩大且儼

韓詩碩大且㜝 薛君曰㜝重頤也 御覽三百六十八璈按廣雅㜝美也薛云重頤當爲美貌也

說文曰碩大且㜝 㜝含怒也一曰難知也

釋文碩大且曮

輾轉伏枕

韓詩展轉伏枕 文選張華詩注

淮南子曰念慮者不得臥高注詩曰展轉伏枕 說山篇

王志長曰詩人于君臣朋友之間每託言美人以致流連想慕之意此與簡兮西方美人同也

陳國十篇二十六章

詩經廣詁　國風

敬躋堂經解

桐城徐璈輯錄

檜第十三

左傳吳公子札觀于周樂自鄶以下無譏焉 襄公二十九年 詩考曰季札觀樂豳在齊下秦在魏唐上鄶曹終焉

王肅曰周武王封祝融之後于濟洛河潁之間爲檜子 詩補傳 唐固曰鄶鄭武公滅之

劉楨詩義問曰鄶在豫州外方之北北鄰于虢鄶滎之南左濟右洛居陽鄭兩水之間食溱洧焉 水經注二十二

羔裘三章

王符曰檜在河伊之間其君驕貪吝嗇滅爵損祿羣臣卑讓上下不臨時人憂之故作羔裘 潛夫論

羔裘逍遙

王逸曰狐裘逍遙逍遙游戲也 楚詞九歌注引詩敳 按鄭語史伯曰鄶仲恃險有驕侈怠慢之心而加之以貪冒游戲者驕侈怠慢之行也

素冠三章

李彪曰周室凌夷喪禮稍亡是以要絰即戎素冠作刺 魏書本傳

棘人欒欒兮

呂覽高誘注棘人之欒欒棘羸瘠也 任地篇

說文曰棘人臠臠兮臠臞也 郝懿行曰釋詁癵病也通作臠舍人註臠心憂憊之病甚積憂成病骨體臞瘦也

崔集註悈人 讀詩記董氏引

勞心慱慱兮

文選注勞心〔摶〕〔摶〕兮　又勞心〔團〕〔團〕思元賦舊注
我心傷悲兮聊與子同歸兮
列女傳我心傷悲聊與子同歸
孝德傳張楷河南人也至孝自然喪親哀毀每讀詩
見素冠棘人未嘗不掩泗焉御覽六百十六

〔萇楚〕三章

隰有萇楚
陸德明曰萇楚本草一名羊腸一名羊桃釋文
爾雅疏隰有〔長〕楚釋草長楚銚弋

樂子之無知
王引之曰知爾雅釋詁匹也郭引詩句又芄蘭能不我知亦宜作匹解　璈按匹謂配匹與無家義協蓋國亂

民困庶生不聊則亥蕭之室仳離之女祇令人悲憯怛耳凡有血氣皆有胖合惟草木獨無此也

猗儺其華
王逸曰〔旖〕〔旎〕其華旖旎盛貌一作猗〔狔〕楚詞九辯注王引之曰此與毛異義蓋本于三家也

〔匪風〕三章
王符曰匪風冀君先教也潛夫論　璈按檜終匪風匪風之發傷失教也曹終下泉下泉之浸傷失養也教養備而後王道隆其爲思治之情則一矣

匪風發兮匪車偈兮顧瞻周道中心怛兮
王吉曰匪風發兮匪車〔揭〕兮顧瞻周道中心〔悳〕兮師古曰悳古怛字　可均曰悳與怛同魯峻碑中心忉怛正用此詩說者曰是非古之風也發發者是非古之車也揭揭者蓋傷之也漢書本傳　璈按發發讀當如撥有暴震不安之意與蓼莪飄風發發句均爲遭逢不辰之詁法言曰震風淩雨然後知夏屋之爲帡幪也虐

攻虐世然後知聖人之爲邪廓也卽匪風之旨矣

白帖匪車揭兮璈按楚詞車駕兮揭而歸洪興祖日揭去也楚詞或卽用詩語也

韓詩外傳成周之時陰陽調寒暑平羣生遂萬物寧故曰其風治其樂連其驅馬舒其行遲遲其意好好

詩云云

匪車嘌兮

許愼曰嘌疾也說文引詩

漑之釜鬵

說文曰摡之釜鬵摡滌也周官滌摡亦作摡

陸德明曰鬵大釜也一曰鼎大上小下若甑曰鬵釋文

說苑楚公子晳去國邅伯玉使楚從容而語于王楚王追公子晳于濮水之上子晳還重于楚邅伯玉之力也故詩云云誰能亨魚四句此之謂也物之相得固甚微矣善說篇

鄶國四篇十二章

敬躋堂經解
桐城徐璈輯錄

曹第十四

詩緯含神霧曰曹地處季夏之位土地勁急音中徵其聲清以急御覽二十一嚴虞惇曰檜滅于西周之終天下無王也曹滅于春秋之終天下無霸也

成伯璵曰三代封建九土星分六合諸侯存十五國而已荆徐吳越僭竊名位杞莒邾滕雜用夷禮江黃道柏陷于楚服不與諸夏同風葢亦沒而不取毛詩指說

蜉蝣三章

范蔚宗曰楚楚衣服戒在窮賒後漢書敘

傳咸曰詩之蜉蝣雖朝生暮死而能修其翼可以有興蜉蝣賦序御覽九百四十五

衣裳楚楚

說文曰衣裳䵳䵳會五綵鮮色也釋文

采采衣服

韓詩薛君章句曰采采盛貌文選鸚鵡賦注引詩

蜉蝣掘閱

說文曰蜉蝣堀閱堀突也錢澄之曰閱見也言其從土中突出而爲人所見也

徐鍇曰蜉蝣掘閱掘閱者蜉蝣之開土使解閱也說文繫傳

段玉裁曰掘閱雙聲字閱猶穴也蜉蝣自孔穴而出其羽必鮮也

麻衣如雪

賈公彥曰麻衣制同以布緣之則曰麻衣以采緣之則曰深衣以素緣之袖長在列則曰長衣儀禮喪服疏引詩何楷曰間傳注麻衣十五升布而純以采即深衣也諸侯夕深衣服此是薄暮之時而蜉蝣之生亦不久矣危之至也

於我歸說

鄭康成曰欲歸其所忠信之人也禮記注

表記子曰君子不以口譽人則民作忠故君子問人之寒則衣之問人之飢則食之稱人之善則爵之國風曰心之憂矣於我歸說

候人 四章

程曉曰曹恭公遠君子近小人國風說以爲刺魏志程昱傳注

劉波曰遠思國風恭公之刺晉書本傳

何戈與祋

說文曰荷戈與祋祋殳也

鄭康成曰荷戈與綴綴表也所表行列也禮記注孔疏齊魯韓詩也釋文同 呂祖謙曰說文高懸羊皮以驚牛馬曰祋則以祋爲表矣

三百赤芾

李賢曰赤紱大夫之服刺其無德居位者多也後漢書東平王傳引詩注 嚴粲曰左傳晉文公入曹數之以不用僖負羈而乘軒者三百人即其事也

鄭康成曰鵜鶘污澤善居泥水之中在魚梁以不濡污其翼爲才禮記注 王應麟曰詩禮注不同

施士丏曰梁人取魚梁也言鵜自合求魚不合于人梁上取其魚譬之人自無美事攘人之美事者如鵜在人梁上焉嘉話拾遺韓集注

魏志黃初四年有鵜鶘鳥集靈芝池詔曰此詩人所謂污澤也曹詩刺恭公遠君子近小人今豈賢智之士處于下位乎否則斯鳥胡爲而至其博舉天下儁德茂異獨行君子以荅詩人之刺

彼其之子不稱其服

鄭康成曰如君子以稱其服爲有德禮記注王應麟曰此韓詩說也

司馬彪曰不稱其服傷其敗化貽譏也後漢書輿服志

表記曰君子恥服其服而無其容恥有其容而無其辭

恥有其辭而無其德是故衰絰則有哀色端冕則有敬

色甲胄則有不可辱之色詩云彼記之子不稱其服

左傳鄭子臧好聚鷸冠鄭伯聞而惡之使盜誘而殺

之于陳宋之間君子曰服之不衷身之災也詩云彼

已之子不稱其服子臧之服不稱也夫僖公二十四年

曹植表曰臣無德可述無功可紀若此終年無益國

朝將挂風人彼已之譏文選求自試表

不濡其咮

玉篇不濡其噣五經文字噣音張救反見詩風

彼其之子不遂其媾

楚語曰彼已之子不遂其媾鄭之也注鄭過也夫鄭而效之

鄭又甚焉效鄭非義也錢澄之曰楚子引曹詩則詩作于文公未返晉之前不用僖負

羈而乘軒者三百人在後矣

韋昭曰媾厚也遂終也國語注

司馬貞曰彼已之人詩人譏詞史記匈奴傳引詩注

薈兮蔚兮

說文曰薈兮蔚兮薈草多貌璈按廣雅蔚薈翳也薈草木多而幽翳也又

曰嬒兮蔚兮嬒女黑色也段玉裁曰草部既稱薈兮此或爲三家詩也董逌曰薈

崔集注亦作嬒

南山朝隮

南山朝隮

本作薈 崔集注

曰薈兮蔚兮嬒女黑色也 又為三家詩也 段玉裁曰草部薈草多貌 重適曰兮薈

說文曰薈兮蔚兮薈草多貌 段玉裁按蓋草木盛而幽蔚也 文

薈兮蔚兮

何虞貞曰彼[己]之人詩人譏之 詩傳引詩句

章昭曰嬬厚也婉孌好也 注國語

百鶴入而在後矣者三

斯又其語非義也 于文公朱曰晉文之前不用僖負

楚語曰彼[己]之子不遂其媾斯之也夫斯而效之

彼其之子不遂其媾

王篇不濡其翼 張正 說文字見詩曹風 音

不濡其咮

明詩挂風人彼已之譏 自試表 文選注

曹植表曰所無德而進無功可紀若此終年無益國

[己]之子不稱其服于臧之服不稱也夫 僖二十四年

之子陳宋之間君子曰服之不衷身之災也詩云彼

左傳鄭子臧好聚鷸冠鄭伯聞而惡之使盜誘而殺

色甲胄則有不可辱之色詩云彼[己]之子不稱其服

卿有其辭而無其德是故君子服則有容色

表記曰君子恥服其服而無其容恥有其容而無其辭

司馬遷曰不稱其服傷其敗化也 與服志

鄭康成曰如君子以稱其服為有禮

彼其之子不稱其服

十道志曰曹南山即曹風所謂南山朝隮也有氾水出

焉漢書高祖即位于氾水之陽今壇存焉御覽四十二瑑按漢書楊惲傳其詩曰田彼南山蕪穢不治張晏注山高而在陽人君之象也蕪穢不治言朝廷之荒亂也蓋即此詩薈蔚朝隮之意也

婉兮孌兮

說文婉兮嫡兮鄒忠允曰小人肆志而趨利于上君子守道而困窮于下晉文公所謂不用僖負羈其即此婉孌之季女歟

鳲鳩 四章

鮑宣曰上爲皇天子下爲黎庶父母牧養元元視之當

如一合尸鳩之詩漢書本傳瑑按觀此語及大學傳所引述是詩不必例以爲刺矣

鳴鳩在桑其子七兮淑人君子其儀一兮其儀一兮心如

結兮

詩傳曰尸鳩之所養七子者一心也君子之所理萬物

者一儀也以一儀理物天心也五者不離合而爲一謂

之天心夫誠者一也一者質也君子雖有外文必不離

內質矣說苑反質篇王謩曰此所引傳蓋即魯詩之傳也

易林曰鵠鵴鳲鳩專一無尤乾之蒙釋文鳲一作尸方言尸鳩東齊海岱之間謂之戴南南猶鵀也瑑按焦氏以鳲鳩爲鵠鵴義符雅訓若戴鵀則釋鳥謂之鵖鴔不得爲一也

列女傳曰言心之均一也鳲鳩以一心養七子君子以

一儀養萬物故一心可以事百君百心不可以事一君

也引詩

曹植曰七子均養者鳲鳩之仁也魏志本傳

緇衣子曰言有物而行有格也故君子多聞質而守之

多志質而親之精知畧而行之詩云云

韓詩外傳曰凡治氣養心之術莫徑由禮莫要得師莫慎一好好一則博博則精精則神神則化是以君子務結心乎一也詩云云

荀子曰行衢道者不至事兩君者不容目不兩視而明耳不兩聽而聰詩云云故君子結于一也勸學篇

淮南子曰賈多端則貧工多技則窮心不一也故木之大者害其條水之大者害其深有百技而無一道雖得之弗能守故詩曰淑人君子其儀一也其儀一也心如結也君子其結于一乎詮言訓

崔集註其義一兮讀詩記董氏引洪亮吉曰義讀爲儀周禮杜子春註鄭司農註並同

鳲鳩在桑其子在梅

淮南子注鳲鳩在桑其子在梅鳲鳩奮迅其羽直刺上飛入雲中者是也時則訓篇

其弁伊騏

鄭康成曰其弁伊綦綦結也皮弁之縫中每貫五采玉以爲飾謂之綦周禮弁師注

說文曰其弁伊璂璂弁飾也往往置玉也釋文

孫毓曰皮弁之飾有玉璂正義

淑人君子其儀不忒

緇衣子曰爲上可望而知也爲下可述而志也則君不疑於其臣而臣不惑于其君矣詩云云

其儀不忒正是四國

何休曰正是四國四國天下象也公羊傳注

楊倞曰言善人君子其威儀不忒故能正四方之國荀子注

君子篇注

禮記經解曰其在朝廷則道仁聖禮義之序燕處則聽雅頌之音行步則有環佩之聲升車則有鸞和之音居處有禮進退有度百官得其宜萬物得其序故詩云云

荀子曰人皆亂我獨治人皆危我獨安人皆失喪之我獨按起而制之故仁人之用國非特將持其有而已也又將兼人詩云云富國篇

呂氏春秋曰昔者先聖王成其身而天下成治其身而天下治故善響者不于響于聲善影者不于影于形爲天下者不于天下于身詩云淑人君子其儀不忒正是四國言正諸身也故反其道而身善矣行義則人善矣樂備君道而百官已治矣萬民已利矣盡數篇

其子在榛

陸德明曰榛木名字林云木叢生也似梓實如小栗釋文

下泉 四章

孔叢子孔子曰於下泉見亂世之思治也記義篇呂祖謙曰匪風作于東遷之前下泉作于晉桓之後

易林曰下泉苞根十年无王荀伯遇時憂念周京蠱之歸妹何楷曰此荀伯即荀躒也蓋指城成周之事

浸彼苞根

釋文浸彼苞根按龍龕手鑑浸漬也浸漸也濕也義互備

愾我寤歎

玉篇曰嘅我寤歎嘅滿也楚詞章句作嘅

郇伯勞之

酈道元曰涑水又逕郇城詩云郇伯勞之葢其故國也

服虔云郇國在解縣東郇瑕氏之墟也水經注涑水詩義折中曰郇侯爵爲州伯竹書昭王六年王錫郇侯命是以郇伯繼召伯也

曹國四篇十五章

酈道元曰涑水又逕郇城詩云郇伯勞之蓋其故國也
服虔云郇國在解縣東郇瑕氏之墟也詩義折中曰水經注涑水
侯爵爲州伯竹書昭王六年王
錫郇侯命是以郇伯繼召伯也

曹國四篇十五章

敬躋堂經解

桐城徐璈輯錄

豳第十五

左傳吳公子札觀於周樂爲之歌豳曰美哉蕩乎（史記作蕩蕩乎）樂而不淫其周公之東乎（襄公二十九年）

漢書地理志曰栒邑有豳鄉詩豳國昔后稷處豳公劉處豳其民有先王遺風好稼穡務本業故豳詩言農桑衣食之本甚備

文中子程元曰敢問豳風何也曰變風也周公之際亦有變風乎曰君臣相誚其能正乎成王終疑則風遂變矣非周公至誠孰能卒之哉豳居變風之末何也曰夷王以下變風不復正矣夫子蓋傷之也故終之以豳風言變之可正也唯周公能之故繫之以正變而克正危而克扶始終不失乎本其惟周公乎繫之豳遠矣哉（周公篇　范祖禹曰豳風居于風雅之間風之所爲終而雅之所爲始也　金履祥曰豳附于國風後猶商附于三頌末也）

七月　八章

孔叢子孔子曰於七月見豳公之所以造周也（記義篇　金履祥曰七月豳之遺詩周公陳之以爲瞽工之誦詩皆采之當世而前世之存者不可泯也　璬按孔叢之言蓋以七月爲豳國之詩矣所云公者殆即遷豳之公劉歟）

王符曰七月之詩大小教之終而復始（後漢書本傳　註大謂耕桑之法小謂索綯之類自春及冬終而復始也）

干寶曰周公遭變陳后稷公劉風化之所由致王業之艱難者則皆農夫女紅衣食之事也其積基樹本經緯

禮俗節理人情恤隱民事如此之纏緜也晉書帝紀總論

九月授衣

賈公彥曰季秋九月授衣之節司裘季秋獻功裘以待頒賜功裘之內有羣臣所服之裘周官疏 按下無衣無褐箋云貴者無衣衣即裘矣或衣字爲裘之脫誤也

一之日觱發二之日栗烈

說文一之日滭冹二之日颵颲楊愼曰凓冽字從仌氣寒結而爲冰月令十二月水澤腹堅是也觱發冬日寒風悲慘其聲似之諺所云籬頭吹觱栗也 敬按說文所引則滭冹亦從冰旁而颵颲乃從風發義與今詩文倒異蓋三家之詁也

文選註二之日凓冽古詩十九首 段曰文選長笛賦正劉凓以風冽廣韻凓冽寒風也玉篇冽寒氣也滭冹凓冽皆疊韻字以說文爲正

三之日于耜四之日舉趾

韓詩曰三月之時可預取耒耜繕修之至于四月始可舉足而耕也御覽八百二十二 敬按三之日傳謂夏之正月韓訓三月四月者以周正言

漢書四之日舉止按顏註四之日周之四月夏之二月不兼朗韓詩之義也

同我婦子饁彼南畝

韋昭曰野饋曰饁國語注引詩

顏師古曰其婦與子同以食來至南畝治田之處而饋之也漢書食貨志注

田畯至喜

孫毓曰小民耕農妻子相饁雖冀缺迎賓之敬大夫儼然銜命巡司何爲辱身就耕民公嫗壟畝之間共飲食乎正義 按箋以喜爲饎孫駁其義也疏曰田畯來喜其勤於農事也

春日載陽

薛綜曰陽暖也文選東京賦注

殆及公子同歸

王肅曰豳君既修其政又親使公子躬率其民同時歸

也正義　瓛按豳公之子而躬率其民親農桑之事蓋即高宗舊勞于外爰知小人之依之意也　戴震曰爲公子裘自豳民言之謂豳公子也此及爲公子裳自豳之女子言之謂公之女公子也婦人謂嫁曰歸

蠶月條桑

玉篇曰蠶月〈挑〉桑枝落之取其葉也瓛按此訓與箋同而字作挑于取義爲近也　熊禾曰豳風備一年之月日獨缺三月則蠶月是也

猗彼女桑

正義〈掎〉彼女桑臧鏞堂曰傳云角而束之曰掎正義引左傳云譬如捕鹿晉人角之諸戎掎之掎角皆遮截束縛之名是此本作掎也

七月鳴鵙

趙岐曰七月鳴〈鵙〉鵙博勞也孟子注

曹植曰詩云七月鳴鵙七月夏五月伯勞以五月鳴應陰氣之動其聲鵙鵙故以其音名也御覽九百二十三

王肅曰七當爲〈五〉五月令仲夏鵙始鳴左傳昭公十七年正義　段玉裁曰鳴鵙夏小正月令皆五月趙注孟子云鳴鵙應陰而動繹趙意亦是五月也

崔集注曰〈五〉五月鳴鵙古五字如七因訛爲之詩攷補遺引曹氏詩說

四月秀葽

許慎曰劉向說四月秀葽此味苦苦葽也說文　曹粹中曰即今藥中小草也　鄭光庭曰月令孟夏苦菜秀苦菜即苦葽也

孟康曰葽盛貌漢書禮志注引詩　瓛按訓葽爲盛謂草木榮秀至四月而極盛也下文隕蘀亦兼草木之類言之不專一物也　又按淮南時則訓孟夏行春令則秀草不實高註使當秀之草不長茂此

言葽正謂其長茂且四月孟夏也

郭璞曰四月秀葽葽莠屬穆天子傳注　瑍按莠似苗無實而先熟故于四月言之也

爾雅疏四月莠葽瑍按夏小正四月秀幽無傳郭璞以葽爲莠屬則幽爲莠之轉也

五月鳴蜩

類篇五月鳴蛃

十月隕蘀

許慎曰凡草木皮葉隕地爲蘀說文引詩

一之日于貉取彼狐貍

詩義問曰狐之類貈貉貍也貉子曰貆形狀似貍爾雅

貉子貆貈子貛貍子貄北堂書鈔

言私其豵獻豜于公

鄭衆曰一歲爲豵二歲爲豝三歲爲特四歲爲肩五歲爲愼愼讀作麎　周官註引詩　瑍按此與爾雅傳箋俱差互不同　王引之曰葢三家詩說也

周禮注獻肩于公嚴可均曰齊風還竝驅從兩豜韓詩作肩彼章句曰獸三歲曰肩今此云四歲爲肩者古四字作亖與三形近因訛也

七月在野

淮南時則訓孟秋蟋蟀居奧　高誘曰蟋蟀蜻蛚趣織也詩曰七月在野此曰居奧不與經合瑍按爾雅隩隈厓内爲隩郭註今江東呼爲浦隩奧與隩通是亦在野之意也

八月在宇

韓詩曰宇屋霤也釋文　陸德明曰屋四垂爲宇

十月蟋蟀

詩義問曰蟋蟀食蠅而化成也御覽九百四十九

劉芳毛詩義箋曰蟋蟀食促織也一名蜻蛚楚謂之蟋蟀或謂之蛬南[illegible]謂之王孫（御覽九百四十九）

塞向墐戶

韓詩曰北向窗也（釋文　玉篇曰塞向向窗也）

儀禮疏塞〔鄉〕墐戶

曰爲改歲入此室處

淮南子時則訓云秋霜始降乃命有司曰寒氣總至民力不堪其皆入[illegible]高註詩云入此室處也

班固曰春令民畢出在壄冬入於邑詩云云所以順陰陽備寇賊習禮文也（漢書食貨志白虎通義　𤩽按入室義此爲詳備不獨爲禦寒也）

鄭康成曰城郭之宅曰室（周官注引詩）

顏師古曰入此室處去田中入室也（漢書食貨志注）

漢書〔聿〕爲改歲（王應麟曰豳風于十月云曰爲改歲言農事之畢也祭義于三月云歲既單矣言蠶事之畢也農桑一歲之大務故皆以歲言之）

六月食鬱及薁

韓詩曰六月食鬱及〔藿〕藿一名鐵鐵山韭也（爾雅釋草疏　說文引同）

劉楨詩義問曰鬱樹高五六尺其實大如李正赤食之甜（御覽九百七十三）

花木志曰燕薁實大如龍眼黑色說文謂之嬰薁一名車鞅豳詩食鬱及薁此名燕薁（御覽九百七十四）

十月穫稻

蔡邕曰十月穫稻九月熟者謂之半夏稻（御覽八百二十九）

爲此春酒

高誘曰酎春醞也詩爲此春酒呂覽孟夏紀注璈按春酒高氏以爲飮酎稱觥鄭氏以爲飮烝則周禮之肇于公劉國豳者不獨軍徹諸政矣

八月斷壺

賈公彥曰壺瓠甘可食者周官疏引詩

九月叔苴

考文九月(掓)苴按手鑑掓拾也即同傳訓是字本作掓也

上入執宮功

唐石經上入執(於)宮功詩小學曰宮功當爲宮(公)公事也今襲唐定本之誤

晝爾于茅宵爾索綯

趙岐曰言教民晝取茅草夜索以爲綯綯絞也孟子注異聞錄曰漢志冬民既夕婦人相從夜績女工一月得四十五日此非獨女子也豳民晝日往取茅歸夜作綯索以待時用夜者日之餘其爲益多矣

亟其乘屋其始播百穀

趙岐曰及爾閑暇乘蓋爾野處之屋春事起爾將始播百穀矣孟子注范祖禹曰天運而不息人勤而不已故我稼既同則又將始播殖矣

二之日鑿冰沖沖三之日納于凌陰

韓詩曰冰者窮谷陰氣所聚不洩則結而爲伏陰二之日夏之十二月三之日夏之正月沖沖鑿聲也凌陰冰室也初學記七

鄭志夏十二月取冰二月開冰四月頒冰其常也此晚者建寅乃藏冰與周禮十二月藏冰較遲一月邠土寒故也

三輔黃圖曰納于凌陰凌室藏冰之所漢在未央宮

水經注曰朝廷置冰室于斯阜平縣故城室內有冰井常以

十二月採冰于河津之隘峽石之阿北陰之中卽詩二之日鑿冰沖沖矣而納于井室所謂納于凌陰也（河水篇）

韓詩納于〈陵〉陰（藝文類聚九　按歐引詩與初學記引韓詩同則此句凌作陵當爲韓寫也）

說文納于〈滕〉陰

四之日其蚤獻羔祭韭

高誘曰四之日其〈早〉（禮記注亦作早）獻羔祭韭開冰室取冰以祫鑑以祭廟春薦韭卵（呂覽仲春紀注）

賈公彥曰欲開冰之時先獻羔祭韭而啓冰室乃出冰也（周禮疏）

左傳申豐曰古者日在北陸而藏冰西陸朝覿而出之其藏冰也深山窮谷固陰沍寒于是乎取之其出之也朝之祿位賓食喪祭于是用之祭寒而藏之獻羔而取之其藏之也周其用之也徧則冬無愆陽夏無伏陰春無淒風秋無苦雨雷出不震無菑霜雹七月之卒章藏冰之道也（昭公四年）

稱彼兕觥萬壽無疆

鄭康成曰月令是月也大飲烝此頌大飲之詩（禮記註）

禮記註稱彼兕〈觵〉〈受〉〈福〉無疆

周官籥章掌土鼓豳籥（司農云豳國之地竹）仲春龡豳詩以逆暑（註云豳詩七月也吹之者以籥爲之聲七月言寒暑之事迎氣歌其類也）中秋夜迎寒亦如之凡國祈年于田祖龡豳雅以樂田畯（註云亦七月也七月有于耜舉趾饁彼南畝謂之雅者以其得男女之正）國祭蜡則龡豳頌以息老物（注云亦七月也七月又有穫稻爲酒躋堂稱觥萬壽無疆之事謂之頌者以其告歲終人功之成）

婦之室巧婦哀鳴以無毁也兼明書　璥按爾雅鴟鴞鸋鴂與茅鴟怪鴟梟鴟並為鴟類又曰桃蟲鷦鴞郭註即桃雀俗謂之巧婦是則大小殊形強弱異類愛室毀室非能同物邱氏之談亘為辨晰矣

鬻子之閔斯

王肅曰閔勤惜也正義

陸德明曰鬻一云賣也釋文

迨天之未陰雨徹彼桑土綢繆牖戶

趙岐曰迨及徹取也桑土桑根也言此鴟鴞小鳥尚知及天未陰雨而取桑根之皮以纏緜牖戶孟子註

王肅曰以興周至積累之艱苦也正義

韓詩徹彼桑〔杜〕釋文曰方言東齊謂根爲杜杜字林作〔𧹞〕𧹞桑皮也

家語〔殆〕天之未陰雨　說文〔隸〕天之未陰雨

今女下民或敢侮予

王肅曰今者今周公時言先王致此大功至艱難而其下民敢侵侮我周道謂管蔡之屬不可不遏絕以全周室正義

家語豳詩云云殆天之未陰雨五句孔子曰能治國家如此雖欲侮之豈可得乎周自后稷積行累功以有爵土公劉重之以仁及至太王亶父敦以德讓其樹根置本備豫遠矣好生篇

予手拮据

韓詩曰口足爲事曰拮据集韻不一

予所蓄租

韓詩曰蓄積也釋文

鴟鴞四章

史記武王崩周公當國管蔡武庚等率淮夷而反周公乃奉成王之命興師東伐遂誅管叔殺武庚放蔡叔放殷餘民于衛封微子于宋寧淮夷東土二年而畢定周公歸報成王乃爲詩貽王命之曰鴟鴞魯世家

易林曰鴟鴞破斧沖人危殆賴其忠德轉禍爲福傾危以立否之蠱

又曰鸋鴂鴟鴞治成御災綏德安家周公勤勞大畜之蹇

趙岐曰刺豳君也孟子注

李德裕曰成王聞管蔡流言覩召公不悅遂使周公狼跋而東鴟鴞之詩作矣文粹三十四

鴟鴞鴟鴞既取我子無毀我室

韓詩傳曰鴟鴞鸋鴂鳥名鴟鴞所以愛養其子者適以病之愛養其子者謂堅固其窠巢病之者謂不知托于大樹茂枝反敷之葦蔄風至蔄折巢覆有子則死有卵則破是其病也文選陳琳檄吳將校部曲文注又荀卿子曰南方鳥名蒙鳩爲巢編之以髮繫之葦苕苕折卵破巢非不牢所繫之弱也

易林桃雀竊脂巢於小枝搖動不安爲風所吹寒心飄搖常憂殆危噬嗑之渙按桃雀旅之晉作鷦鷯

陳琳曰鳳鳴高岡以遠罻羅賢聖之德也鸋鴂巢于葦苕苕折子破下愚之惑也魏志注檄吳將校部曲

張悛曰鴟鴞恤功愛子及室文選表

郤光庭曰鴟鴞惡聲之鳥非巧婦無毀我室我巧婦也周公之意以鴟鴞比管蔡以巧婦比已是鴟鴞欲毀巧

釋文予所蓄祖段玉裁曰本正作祖俗誤作租

曰予未有室家

王肅曰我爲室家之道至勤苦而無道之人弱我稚子易我王室謂我未有室家之道正義

予羽譙譙

釋文予羽燋燋按手鑑燋傷火也燋燋以狀其殺翮之情當爲正字

予尾翛翛

正義曰消消定本作翛翛臧鏞堂曰正義本作消消錢大昕曰唐石經九經沿革皆作翛翛

予維音嘵嘵

王肅曰言我周累世積德以成篤固之國而爲凶人所振蕩則已亦嘵嘵而懼正義

說文唯予音之嘵嘵玉篇廣韻引詩皆有之字

東山四章

孔叢子孔子曰於東山見周公之先公而後私也記義篇

酈道元曰成王幼弱周公攝政管叔流言曰公將不利孺子公作鴟鴞以伐之卽東山之詩是也水經注

慆慆不歸

藝文類聚滔滔不歸文選注同按廣雅蹈蹈行也葢亦三家義滔又作蹈也

零雨其濛

說文曰霝雨其濛霝雨零也又曰零徐雨也御覽引

王逸曰零雨其蒙蒙蒙盛貌楚詞招魂注

勿士行枚

陸德明曰鄭注周禮枚如箸橫銜之于口爲繣結于項

中（釋文）

太平御覽勿士銜枚（洪頤煊曰說文馬勒口中从金从行銜行馬者也或省文正據此詩為義　臧琳曰周官大閱教戰法遂鼓銜枚而進註枚如箸銜之軍法止語為相疑惑箋云無銜枚之事非鄭亦作銜也）

蜎蜎者蠋

說文曰蜎蜎者蜀蜀葵中蠶也（爾雅蚅烏蠋郭璞曰蟲大如指似蠶　羅願曰葵菜之甘者也古言蓼蟲不知徙乎葵菜今蜀食葵之甘故其蠋蜎蜎肥大）

伊威在室

爾雅釋文蛜蝛在堂（說文作蛜威與爾雅同）

蠨蛸在戶

詩義問曰蠨蛸長脚蜘蛛也（御覽九百四十八）

詩義砮曰蠨蛸小蜘蛛長踦俗呼之為喜子（同前）

廣韻曰蠨蛸在戶（蠨息逐切　一切經音義引詩亦作蠨蛸云上音肅下音蕭）

町畽鹿場

說文曰町疃鹿場疃禽獸所踐處也（楊慎曰左傳町原防町小頃也莊子舜著童土之中童土疃也　敬按童土之義與說文合童土猶童山不殖草木之土故為牧場矣）

釋文町疃鹿場（小爾雅鹿之所息謂之場）

熠燿宵行

說文曰熠熠宵行熠盛光也

曹植曰詩熠燿宵行章句以為鬼火或謂之燐未為得也天陰沈數雨在于秋日螢火夜飛之時也（廣韻熠爚螢火別名）故云宵行腐草木得濕而光亦有明驗眾說並為螢火近得實矣（螢火論　正義太平御覽同　敬按陳思引章句以鬼火為燐與唐李華弔戰場文走燐飛螢別燐螢而二之其說同也　段玉裁曰韓詩鬼火或謂燐謂鬼火熒熒然也與列子淮南子博物志皆合）

淺人改傳熒從螢遂以爲螢矣

易林曰東山辭家處婦思夫伊威盈室長股羸戶歎

我君子役日未已家人之頤　墩按果羸之實以下六句箋說皆以爲行者懸念其家之詞焦氏即以爲處婦獨居落寞田廬曠廢情況與下章婦嘆句意相聯屬唐人古別離云蠨蛸網清戶正用詩語也

伊可懷也

釋文翳可懷也箋伊當作緊

鸛鳴于垤

韓詩章句曰鸛水鳥巢居知風穴處知雨天將雨而蟻出壅土鸛鳥見之長鳴而喜文選張華詩注　錢澄之曰禽經鸛仰鳴則晴晴則征夫將至也　丘光庭曰垤土之隆聳近水者若坻址之類鸛水鳥天將陰雨則鳴于隆土之上婦人聞之憂雨思夫故嘆於室兼明書

說文曰雚鳴于垤雚小爵也王玉樹曰釋文鸛本作雚是古本作雚也

烝在栗薪

韓詩曰烝在蓼薪眾薪也釋文　廣韻漻同蓼蕭蓼莪之蓼

熠燿其羽

王肅曰倉庚羽翼鮮明以喻嫁者之盛飾也正義

皇駁其馬

爾雅注騜駁其馬釋畜

親結其縭

薛君章句曰縭帶也文選思元賦注

郭璞曰縭即今之香纓也邪交絡帶繫于體此女子既嫁之所著示繫屬于人詩云親結其縭謂母送女重結其所繫著以申戒之說者以爲帨巾失之矣爾雅釋器注　墩按

文選女史箴李周翰注褵纓也女嫁母
施衿結纓曰勉之敬之也此葢郭義

初學記親結其〔褵〕
璈按文選沈約彈文李注引詩亦
作褵劉良曰褵帶也葢用韓訓

九十其儀

韓詩外傳曰九十言多也
璈按外傳以多儀爲不息燭
不舉樂廟見見舅姑之類

何楷曰儀皆
禮之儀也

陳世崇曰東山之詩雨雪寒燠僕馬衣裳室家[illegible]姻出于聖人之忠厚惻怛故能感人也
隨隱
漫錄

〔破斧〕三章

班固曰天子五年一巡狩三年二伯出述職詩云周公東征四國是皇言東征述職周公黜陟而天下皆正也
白虎通　璈按班何二家述詩同旨三年黜陟正侯伯
分陝之事征行也葢周公于東山軍士既歸之後仍出
面東行述職撫綏四國造佃田宅邑服在百僚殽頑既
靖四國于焉底平觀詩中既又字則破斧以下四篇固

不必爲興師一時之作矣　又按班釋
詩爲魯家義四國謂四方不同毛也

何休曰此道黜陟之詩也
公羊傳解詁　璈按法言或
問爲政曰思斁昔在周公征
于東方四國是〔王〕其思
矣夫葢亦黜陟之義也

周公東征四國是皇

韋昭曰周公時爲二伯而東征則上公爲元帥也
魯語
注

賈公彥曰此上公爲軍將也
周官疏
引詩

齊詩四國是〔匡〕
儀禮疏　惠棟曰
皇匡爾雅皆訓正
周禮疏四國是〔遑〕

又缺我錡

韓詩曰錡木屬
釋文　錢澄之曰司馬法輜輦載一斧
一斤一鑿一钁錡即鉏也　璈按韓以
鉏爲鑿以錡爲木屬錢云即鉏通
前章斧斨正符司馬法之制矣

四國是吪

爾雅注四國是〔訛〕
璈按荀子周公南征而北國怨東征
而西國怨詩言四國葢謂東西南北

四方之國同荀意也

又缺我銶

韓詩曰銶鑿屬釋文陳啟源曰此解錡銶與毛正相反敖按龍龕手鑑亦云銶鑿屬蓋用韓義

陸德明曰一解爲今之獨頭斧

伐柯二章

王肅曰既作東山又追作此詩以刺王也正義

伐柯如何

鄭康成曰伐木之柯柄長三尺周官註

王肅曰能執治國家之斧柄喻周公能執禮也正義

匪媒不得

孫毓曰言王以周公之聖欲其速反尚使賢者先行令人傳通其意正義李光地曰楚詞苟中情其好脩何必用夫行媒成王既已疑周公非信用二公不能卒知周公也

伐柯伐柯其則不遠

韓詩外傳曰原天命治心術理好惡適性情而治道備矣四者不求于外不假于人反諸已而已詩云云

文選註執柯伐柯孔叢子操斧伐柯其則不遠

籩豆有踐

王肅曰踐行列之貌籩豆行禮之物言我所見之子能以禮治國也正義

九罭四章

朱謀㙔曰東人送周公之詞也

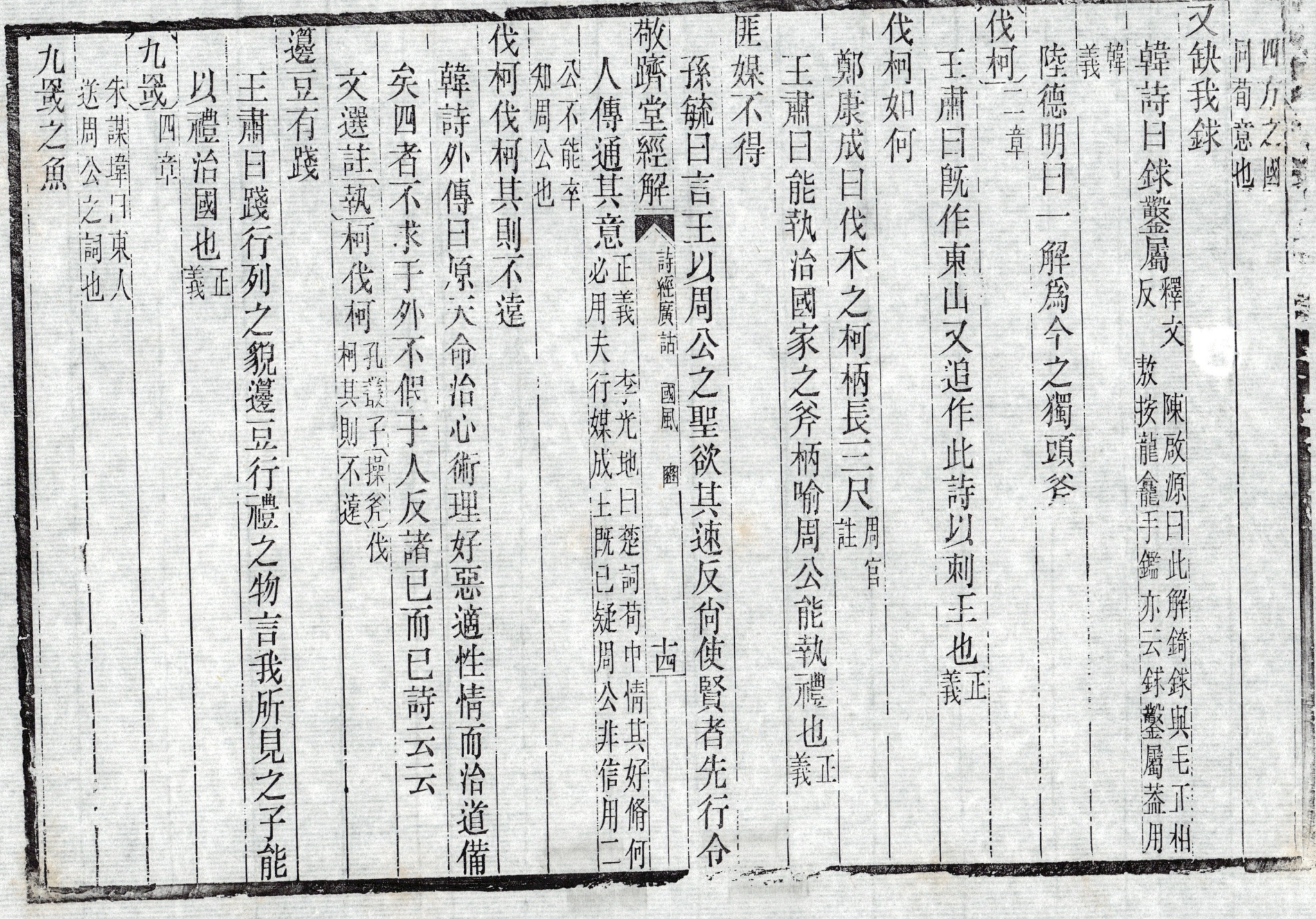

九罭之魚

韓詩曰九罭取鰕芘也（御覽八百三十四　璈按九罭雅訓爲取魚之罟韓以爲取鰕之芘集韻芘籓也取鰕而得鱒魴以興小國而居大臣意出望外矣）

王肅曰以興下士小國不宜久留聖人（正義）

衮衣繡裳

陸德明曰六冕之第二者也九章上公降龍

鴻飛遵渚

白帖鴈北徂也（九十四　璈按鴻之自南徂北猶公之自東徂西也鴻不木棲遵渚遵陸爲循其翔集之道矣　段玉裁曰鴻者鴻鵠即黃鵠也鴻鵠一舉知山川紆曲再舉知天地方圓故箋云大鳥也）

無使我心悲兮

正義無使我心〔西〕悲兮

〔狼跋〕二章

孔叢子孔子曰於狼跋見周公之遠志所以爲聖也（記義篇）

狼跋其胡載疐其尾

毛詩草蟲經老狼項下有袋求食滿腹向前行乃觸之退後又自踐蹈上疐其尾進退有患故詩以況跋前疐後（埤雅四　璈按跋前疐後動輒得咎遭時則然貪惡非以擬聖也　郝敬曰世稱顛連曰狼狽冗亂曰狼籍放散曰狼宕皆患難之比也　胡文英曰狼狽以比管蔡之自爲跋疐周公則進退有度不失其常也）

鹽鐵論載〔躓〕其尾

說文載〔躓〕其尾（臧琳曰躓跲也疐假借字跋當作〔䟺〕說文䟺步行躐跋也）

赤舃几几

說文赤舃〔已〕〔己〕

又曰赤舃〔掔〕〔掔〕（董逌曰崔集註亦作擥擥）

公孫碩膚德音不瑕

小爾雅曰公孫碩膚德〔容〕不瑕道成王大美聲稱遠也

豳國七篇二十七章

詩經廣詁　國風